Collier de perles d'amour

Dans l'Antiquité, les dieux grecs habitaient au sommet du mont Olympe.
Ils étaient immortels et possédaient des pouvoirs mais,
comme les hommes, ils aimaient et haïssaient, se montraient généreux
et possessifs, bienveillants et capricieux.

Les mythes racontent les exploits des dieux et des héros.
Le mot « mythe » dérive du grec ancien et signifie « récit ».

Personnages et lieux évoqués dans le mythe de Déméter et Perséphone :
Zeus, père des hommes et des dieux et époux d'Héra.
Déméter, déesse du blé et de la terre fertile.
Coré, fille de Déméter et déesse du blé qui germe.
Elle était vénérée sous le nom de **Perséphone** comme déesse des Enfers.
Hadès, seigneur du monde souterrain et du royaume des morts,
autrement dit des Enfers. Lorsqu'il apparaissait à la surface de la Terre,
il revêtait un casque en peau de chien qui le rendait invisible.
Le **narcisse**, fleur sacrée pour Hadès, considérée comme un présage de mort.
Hermès, messager des dieux.
Hécate, déesse des chemins et des croisements. Elle apparaissait
dans les moments cruciaux de la vie.
Hélios, le Soleil. Il parcourait le ciel sur son char.
Iris, déesse de l'arc-en-ciel.
Baubô, étrange créature d'Éleusis. Dans le mythe,
elle représente le rire qui emporte la douleur.
Les **Harpies**, êtres effrayants avec des pattes griffues et des ailes.
Elles surveillaient l'entrée des Enfers.
L'**Olympe**, mont de Grèce.
Éleusis, ville de Grèce, voisine d'Athènes. Des rites éleusiniens inspirés
du mythe de Déméter s'y déroulaient pour célébrer la déesse qui avait appris
aux hommes comment cultiver la terre. Pendant les rites, une boisson
à base d'orge était distribuée aux participants afin qu'ils se préparent
à la rencontre avec Perséphone qui, un jour, les accueillerait dans

À Enrica et Marta C.L.

© Edizioni Arka, Milano, 2006
Tous droits réservés

www.grasset-jeunesse.com
www.arkaedizioni.it
www.octaviamonaco.it

ISBN : 978-2-246-71941-0

© 2007 Editions Grasset & Fasquelle, France
pour les pays de langue française
Tous droits réservés
Loi n°49 956 du 16 juillet 1949
sur les publications
destinées à la jeunesse

Réalisation maquette : Joëlle Leblond

Dépôt légal : mars 2007
N° édition : 14 663
Imprimé en Italie

LA NAISSANCE DES SAISONS

LE MYTHE DE DÉMÉTER ET PERSÉPHONE

Texte de Chiara Lossani
inspiré de *L'hymne à Déméter* d'Homère
et des fragments orphiques cités
par Karoly Kerényi
dans *Les dieux de la Grèce*.

Illustrations d'Octavia Monaco

traduit de l'italien par Juliette Vallery

À travers les mythes, les Grecs de l'Antiquité apportaient des réponses
aux questions qu'ils se posaient sur la nature et sur la vie :
Qui fait naître le soleil le matin pour le remporter le soir parmi les vagues ?
Qui déchaîne les vents et les tempêtes en entraînant les bateaux au fond de la mer ?
Qui éveille l'amour ?
Qui décide de la mort ?
Et si la question était :
Pourquoi la nature meurt-elle chaque hiver pour renaître au printemps ?
ils contaient le mythe de Déméter et Perséphone,
une histoire d'amour entre une mère et sa fille
qui advint lorsque la Terre ne connaissait qu'une seule saison : l'été…

Grasset-Jeunesse

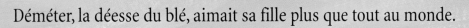

Déméter, la déesse du blé, aimait sa fille plus que tout au monde.

Un, deux, trois :
je suis toi, tu es moi.
Quatre, cinq, six :
où je vais, tu te glisses.

chantait la déesse en jouant avec la petite Coré.
Jamais elle ne la quittait, même pas lorsqu'elle descendait de l'Olympe pour
séjourner parmi les hommes et veiller à ce que le blé pousse en abondance.

Quand Coré grandit, Déméter lui enseigna le nom des fleurs et des fruits.
Et au fil des jours, elle apprit l'art d'être à la fois mère et déesse.
« Tu viens courir avec moi dans les prés ? » lui demandait parfois Coré.
Déméter regardait autour d'elle, hésitante, puis elle troussait sa robe
et tandis que, du coin de l'œil, elle observait les hommes au travail,
elle poursuivait sa fille à travers champs.
Elles couraient dans l'herbe, se reposaient à l'ombre des oliviers.
La mère et la fille étaient inséparables, comme les grains d'un épi de blé.
Et au fond de son cœur, Déméter croyait que ce temps-là ne finirait jamais.

Et cependant, les années passaient.
Coré devint une jeune déesse d'une grande beauté.

Un matin, en regardant la plaine du haut de l'Olympe, elle dit à sa mère :
« Les prés sont tous en fleurs. Si nous allions cueillir des crocus et des violettes ?
– Impossible, répondit Déméter en se coiffant devant son miroir.
Aujourd'hui, c'est le jour de la moisson du blé, les hommes nous attendent…
– J'irai seule, pendant que tu surveilleras la récolte, l'interrompit Coré.
– Sans moi ? » fit Déméter le front plissé.
Leurs regards se croisèrent dans le miroir.
Celui de Coré était déterminé, pour la première fois, et Déméter céda :
« Fort bien », dit-elle, en songeant qu'elle la surveillerait de loin.

Surveiller la récolte était un devoir
auquel Déméter ne pouvait se soustraire.
Zeus, le père des dieux,
le lui avait rappelé plus d'une fois :
« Ne laisse jamais les hommes seuls
pendant la moisson du blé.
Vérifie que leurs faucilles sont bien affûtées
et que tous les épis sont bien rassemblés
sur les charrettes avant la nuit. »

Déméter contrôlait le travail, mais il lui suffisait de lever les yeux pour distinguer Coré là-bas, parmi les fleurs. Si, un instant, elle la cherchait du regard, anxieuse, aussitôt, parvenait un appel :
« Maman, je suis là ! »
Et le cœur de Déméter se remettait à battre.

Campanules, crocus, coquelicots.
Roses, violettes, iris.
Le pré multicolore resplendissait.
L'air était imprégné de parfums.
Coré cueillait des fleurs,
et souriait en pensant à son avenir de déesse.

Hadès, le dieu
à la chevelure couleur de cendre
prépare son avenir, lui aussi.
Coré : ne souris pas
aux narcisses !

Des narcisses, il n'y en avait qu'un dans ce pré,
et quand il capta son regard,
Coré le cueillit sans hésiter,
en se demandant avec surprise :
« Pourquoi les narcisses sont-ils un présage de mort ? »

Depuis plusieurs jours, Hadès, le dieu des Enfers, épiait Coré.
Il la voulait à ses côtés, pour éclairer son royaume des ombres.
Mais il savait que tant que Déméter était auprès d'elle, il ne pourrait jamais l'avoir.
C'est pourquoi il attendait qu'elle soit seule…

Et dès que Coré fut seule, Hadès se prépara
pour se rendre invisible aux yeux des hommes.
La terre trembla, elle s'ouvrit béante, et le dieu jaillit des profondeurs
sur son char tiré par des chevaux noirs.

Coré n'eut pas le temps de s'enfuir ou de se cacher.
Seulement celui de pousser un cri.
Mais Déméter n'accourut pas à son aide : Zeus avait bâillonné
le vent pour qu'il ne porte pas sa voix à sa mère.
En lâchant ses fleurs, Coré disparut avec Hadès dans le gouffre noir.

« Coré, où es-tu ? »
Seul le souffle du vent entre les épis répondit à Déméter.

Ils seront séparés
les grains de blé.
Déméter, ne devines-tu pas,
à présent,
le destin qui t'attend ?

« Coré ! Coré ! où es-tu ? » cria Déméter en se précipitant dans la prairie.
Et seul le souffle du vent sur l'herbe lui répondit.

« COOORÉ ! »

Les oiseaux cessèrent de chanter, le vent resta en suspens.
Par terre, le bouquet de fleurs et le narcisse étaient éparpillés.

Effroi.
Douleur.
Désespoir.
Déméter se griffa le visage, jeta son foulard, et se lança à travers champs et sur les chemins
en appelant Coré et en oubliant de protéger les hommes et leurs récoltes.
Pourquoi se soucier d'eux, si elle n'avait plus sa fille ?
Elle sentait sa poitrine vide, comme si on lui avait arraché le cœur.

Froid et silence,
mort et ombre,
finie est la vie
le cœur est une tombe.

Elle erra toute la journée à la recherche de Coré.
Personne, ni homme, ni dieu, n'avait rien vu.
Personne n'avait rien entendu.

Elle erra aussi toute la nuit.
Jusqu'à l'aube où la vieille Hécate, déesse des croisements
et des chemins, apparut, suivie de ses chiens.
Les chiens coururent à la rencontre de Déméter pour solliciter ses caresses.
Mais, même au bout des doigts, Déméter n'avait plus la moindre tendresse.
« Un dieu t'a volé ta fille, lui dit Hécate en faisant taire ses chiens.
Je n'ai rien vu, mais j'ai entendu ses cris. »
Le froid descendit sur le cœur de Déméter. La déesse regarda le ciel
et, sans un mot, elle quitta la Terre, comme un oiseau.

Qu'espères-tu, Déméter ?
Si vraiment c'est un dieu
qui a volé ta fille,
ta douleur n'en sera que plus grande.

En arrivant devant Hélios, qui conduisait son char lumineux,
elle arrêta ses chevaux d'un grand geste, le cœur plein de rage :
« Ma fille a été enlevée par un dieu mais j'ignore lequel ! cria-t-elle.
Toi qui illumines toute la Terre, dis-moi qui il est ! Dis-moi : qui m'a enlevé Coré ?
– Zeus l'a promise en mariage à Hadès, et celui-ci
l'a emportée dans son royaume des ombres.
Hadès sera un époux digne d'elle : il possède les richesses du sous-sol,
l'or et les pierres précieuses. Que veux-tu de plus pour ta fille ? » dit Hélios,
en incitant ses chevaux à repartir.
En un éclair, la déesse se plaça devant le char et en dévia le parcours.
Puis elle martela le ciel de coups de poing, et après s'être mise à grandir
de manière spectaculaire, elle détacha ses cheveux et éclipsa le Soleil
en projetant son ombre sur la Terre : une ombre immense, froide, noire.

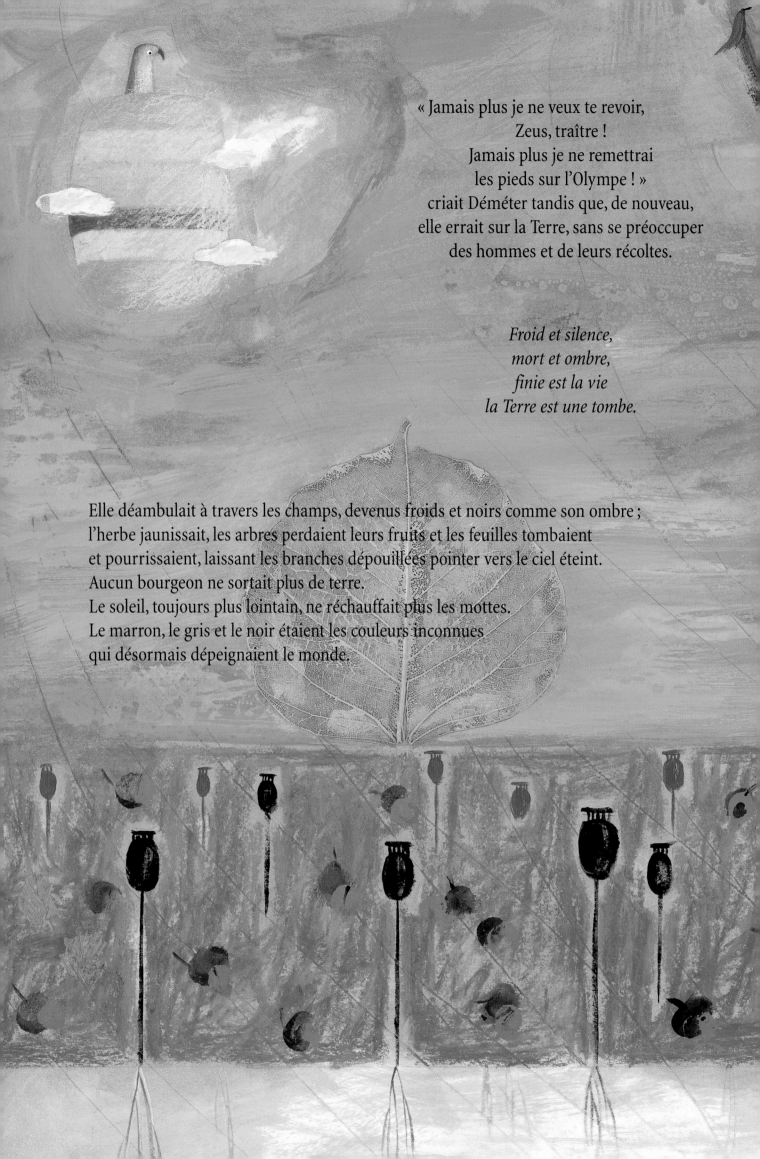

« Jamais plus je ne veux te revoir,
Zeus, traître !
Jamais plus je ne remettrai
les pieds sur l'Olympe ! »
criait Déméter tandis que, de nouveau,
elle errait sur la Terre, sans se préoccuper
des hommes et de leurs récoltes.

Froid et silence,
mort et ombre,
finie est la vie
la Terre est une tombe.

Elle déambulait à travers les champs, devenus froids et noirs comme son ombre ;
l'herbe jaunissait, les arbres perdaient leurs fruits et les feuilles tombaient
et pourrissaient, laissant les branches dépouillées pointer vers le ciel éteint.
Aucun bourgeon ne sortait plus de terre.
Le soleil, toujours plus lointain, ne réchauffait plus les mottes.
Le marron, le gris et le noir étaient les couleurs inconnues
qui désormais dépeignaient le monde.

Le gris et le noir étaient aussi les couleurs du monde dans lequel était précipitée Coré.
Tandis qu'elle priait les dieux de pouvoir revoir la lumière,
la douleur l'assaillait plus intensément que la peur :
« Pourquoi ma mère ne m'a-t-elle pas retenue ? Pourquoi m'a-t-elle abandonnée ? »

Tout à coup, elle vit émerger des ombres du noir : des hommes, des femmes, des enfants.
En chuchotant, ils s'étonnaient de voir parmi eux quelqu'un de vivant.
Puis elle sentit une main qui lui caressait l'épaule.
C'était Hadès, avec sa chevelure couleur de cendre :
« Désormais, tu es mon épouse, lui dit-il d'une voix aimable, tu n'es plus la même,
tu n'es plus Coré. Désormais, tu es Perséphone, déesse des Enfers. »
Au même instant, Coré s'aperçut que les souvenirs de sa vie dans le monde d'en haut
commençaient à se faner. Alors, elle comprit que la volonté d'un dieu puissant l'avait
séparée de sa mère, elle sentit que, peu à peu, Coré laissait place à Perséphone.

Si parmi les hommes, il n'y a pas de joie,
il n'y a pas de joie non plus parmi les dieux.
Les Cieux sont-ils un reflet de la Terre ?
Ou la Terre un reflet des Cieux ?

Depuis la disparition des dernières couleurs, la Terre ressemblait à un jardin brûlé par le froid.
Du haut de l'Olympe, Zeus l'observait, préoccupé :
« Si le blé ne peut plus germer, les hommes mourront.
Qui, alors, fera des offrandes aux Immortels ?» songeait-il.
En faisant gronder les nuages, il jeta un éclair, en colère, et appela Iris,
la déesse de l'arc-en-ciel, qui savait unir la Terre et le Ciel :
« Va voir Déméter, et dis-lui que je lui ordonne de revenir parmi les dieux
et de redonner vie à la Terre !»

Mais le cœur de Déméter était sourd :
« Je garderai les graines cachées jusqu'à ce que je revoie ma fille » répondit-elle à Iris.

Il y a un temps pour finir,
un autre pour commencer.
C'est à Zeus de décider :
qui peut le contredire ?

Lorsque, en pleine errance, Déméter arriva à Éleusis, une étrange créature
s'approcha d'elle, en lui tendant des figues et une boisson à base d'orge.
« Bonjour, Déméter ! »
La déesse leva les yeux :
« Qui es-tu ?
– Baubô !
– Qu'est-ce que ça signifie ?
– Ça signifie "ventre"», rit Baubô. Et, d'un geste impertinent,
elle souleva sa robe pour montrer son ventre rond
qui ressemblait à un visage, avec des seins à la place des yeux.
Déméter fixa ce ventre qui lui rappelait quelque chose…
Peut-être les ventres des mamans qui pensent à leurs enfants ?
Peut-être elle-même quand, avec amour, elle veillait
sur son ventre en échafaudant des projets pour Coré ?
Cet amour, se dit-elle, était encore en elle, il était sien pour toujours,
et aucun dieu ne pourrait le lui dérober.

Tout à coup, un rire léger résonna dans sa poitrine,
emportant la douleur, puis, librement, il explosa dans l'air
et se diffusa le long des routes d'Éleusis, là-haut, tout là-haut,
à travers les montagnes jusqu'à la cime de l'Olympe.

C'est alors que…

… le jeune dieu Hermès lui apparut :

«Déméter, j'ai un message de Zeus pour toi : la Terre ne peut vivre sans fruits…

– Ni moi sans Coré ! » l'interrompit-elle.

Hermès acquiesça :

« Zeus le pense aussi. C'est pourquoi il m'a envoyé chez Hadès qui m'a accueilli,
assis sur son trône, ta fille à ses côtés.

" Pour le bien des hommes et des dieux,
Zeus souhaite que Coré puisse revoir sa mère ", lui ai-je annoncé.

Hadès a levé un sourcil, étonné, mais ensuite, un étrange sourire a couru sur ses lèvres :
"Déméter reverra sa fille, comme Zeus l'ordonne. Les Harpies, gardiennes de l'Au-delà,
la lui ramèneront. Mais auparavant, je voudrais rester seul avec mon épouse."

Et sans ajouter un mot, il l'a conduite par la main vers le jardin des grenadiers. »

Ainsi Hermès parla-t-il à Déméter, avant de disparaître en un éclair.

Tes yeux, Déméter, reverront Coré,
comme tu l'avais souhaité.
Mais sera-t-elle la même personne
que celle qui t'a été dérobée ?

Poussées par le vent tempétueux qui les entourait toujours,
les Harpies menèrent Perséphone de l'obscurité vers la lumière,
et la déposèrent sur la plaine d'Éleusis,
où Déméter l'attendait avec anxiété.

«Coré ! Coré !» gémit la déesse en embrassant sa fille, tandis que ses doigts
couraient tout seuls pour reconnaître ses lèvres, son nez, ses cheveux.
Mais sa fille lui dit :
«Je suis Perséphone, à présent. »
Déméter l'écarta et se rendit compte que, même si elle était revenue
et qu'elle pouvait la toucher, Coré n'était plus la même. Elle lui demanda, alarmée :
«Que t'est-il arrivé aux Enfers ? »
Perséphone lui parla de l'aimable dieu à la chevelure couleur de cendre, du jardin
et des pépins de grenade qu'il avait pressés sur ses lèvres avant de la laisser partir.
Le souffle de Déméter se pétrifia :
«Coré ! cria-t-elle. Pourquoi l'as-tu suivi dans ce jardin ? »

À présent, entre l'ombre et la vie,
la frontière est moins claire :
qui mange la nourriture des Enfers
y reviendra de toute manière !

Déméter comprit alors que seul le père des dieux pouvait l'aider.
Enlacée à Perséphone, elle partit pour l'Olympe.

Zeus les attendait.

« Perséphone ! gronda le dieu, tu as mangé la nourriture des Enfers
et Hadès veut que tu retournes là-bas !

Mais toi, Déméter, tu veux ta fille, et si tu ne l'as pas, tu laisseras mourir la Terre.

Cela, les dieux ne peuvent le permettre, j'ai donc pris une décision : dorénavant,
Perséphone passera une partie de l'année avec toi et une partie avec Hadès.

Quand elle sera avec toi, la Terre sera couverte de fleurs et de fruits,
mais quand elle descendra au royaume des ombres, le froid surgira et ce sera le désert,
comme le commande ton cœur, car Perséphone emportera avec elle les grains des épis.

Elle-même sera comme le grain qui, s'il n'est pas d'abord enfoui sous terre,
ne peut renaître et germer.

Tout changera aussi pour les hommes, leur vie trouvera un rythme nouveau :
au printemps succédera l'été, à l'été l'automne et l'hiver
et à l'hiver le printemps et l'été.
Pour toujours.
Une saison pour vivre, une saison pour mourir. »

Un temps vient de finir,
un autre de commencer.
C'est Zeus qui l'a décidé :
qui peut le contredire ?

Mère et fille retournèrent ensemble sur la Terre.
Et tandis qu'Hélios s'approchait de nouveau
en réchauffant les mottes, Déméter libéra les graines.
Et sur le passage des deux déesses,
poussaient les feuilles, les fleurs et les fruits,
recouvrant le monde de couleurs et de parfums.

Ainsi les Grecs de l'Antiquité racontaient-ils
l'éternel retour des saisons,
l'éternel renouveau de la vie.